Een eiland
met palmen

Annemarie Bon
Tekeningen van Gertie Jaquet

Zwijsen

Niet op reis

'Ploep.'
Daar is de post.
Emma rent naar de gang.
Er ligt een dik boek op de grond.
'Zonreis' staat er op de voorkant.
Het is een reisgids.
Emma neemt het boek mee naar de kamer.
Ha, fijn, lekker lezen!
Dat kan ze al goed.
Emma leest alles wat ze maar te pakken krijgt.
Lezen vindt ze het leukste dat er is.
In dit boek staan veel plaatjes.
Voorop staat een strand met palmen.
Het is een reisboek met hotels.
Ze leest hardop voor.

Hotel Kokos met sauna en zwembad.
Kamers voorzien van bad en wc.
Keuze uit twee of drie bedden.
Prijs per kamer honderd euro.

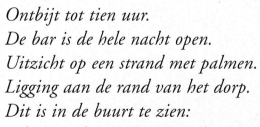

Ontbijt tot tien uur.
De bar is de hele nacht open.
Uitzicht op een strand met palmen.
Ligging aan de rand van het dorp.
Dit is in de buurt te zien:
• de tempel van Kara
• de klimwand
• de dierentuin

'Mama,' roept Emma.
Ze rent met de reisgids naar mama.
'Zullen we naar Hotel Kokos gaan in de zomer?
Jij en ik en papa?
Dat wil jij toch altijd zo graag?
Je droomt vaak over een warm eiland.
Jij wilt op een strand liggen met palmen.
Kijk, hier is je paradijs!'

Mama kijkt in de reisgids.
Dan schudt ze haar hoofd.
'Nee, Emma,' zegt ze.
'Die reis en dat hotel zijn veel te duur.
Wie weet winnen we een keer de loterij.
Dan hebben we geld genoeg.
Nu niet.

Deze zomer blijven we hier.
We gaan niet weg.'
Dat valt tegen.
Emma kijkt sip.
Wat is dat jammer!
Het eiland ziet er zo leuk uit.
Maar ze snapt het wel.
Alles kost geld, ook een verre reis.
En haar papa en mama hebben niet zoveel geld.

Niet genoeg geld

Over twee weken is mama jarig.
Emma loopt langs de winkels in de straat.
Ze heeft vijf euro bij zich.
Ze zoekt iets moois voor mama.
Waarmee zou mama blij zijn?
Emma ziet een stal met bloemen.
Is een bos bloemen iets voor mama?
Nee, dat is saai.
Emnma loopt door.
Jammie, wat ziet die winkel er lekker uit.
Een winkel vol bonbons, in wit en melk en puur.
Is een doos bonbons iets voor mama?
Nee, die vindt zichzelf nu al te dik.
Bij de volgende winkel weet Emma het meteen.
Ja, dit is wat mama graag wil.
Achter de ruit staat een strandstoel.
Er staat ook een parasol.
En een namaak palmboom, die net echt lijkt.
Emma leest een poster.

Drie weken in je eigen huisje op het strand.
Vlieg naar de Stille Zuidzee.
Boek nu!

En betaal geen duizend maar vijfhonderd euro.

Emma ziet papa, mama en zichzelf al liggen.
In de zon op een warm eiland met palmen.
Maar helaas pindakaas.
De reis is dan wel goedkoop.
Maar Emma heeft vijf euro bij zich.
Dat is lang geen vijfhonderd.

Emma vindt de winkels niet leuk meer.
Ze weet niet wat ze moet kopen.
Nou ja, ze weet het wel.
Maar wat ze wil, dat kan niet.
Ze kijkt naar de stoep.
Sjok, sjok, daar gaat Emma.
Ze vindt wel mooie schatten op straat.
Een pen.
Een tor.
Een muntje van vijf cent.
Heel leuk!
Ze stopt het in haar zak.
Maar ook vijf cent is te weinig.
Ze vindt een sok.
Maar die raapt ze niet op.
En wat ligt daar nou?

Daar bij de wortels van die boom.
Wat ligt daar voor iets geks?
Een kaartje aan een touwtje.
Aan het touwtje zit ook een lege ballon.
Emma ziet niet goed wat er op het kaartje staat.
Ze stopt het in haar zak.
Nu gaat ze naar huis.
Morgen bedenkt ze wel iets leuks voor mama.

Win een reis

Emma kan heel goed lezen.
Maar ze snapt niets van het kaartje.
Dat komt niet door Emma.
Dat komt doordat het kaartje vies en kapot is.
Het lag vast al een tijdje bij die boom.
In de wind en in de regen.
Emma griezelt even.
Misschien heeft er wel een hond over geplast!
Nou ja, ze wast zo meteen haar handen wel.

Op het kaartje ziet Emma een strand.
En zee met een heel hoge golf.
Ook ziet ze een palmboom en een strandstoel.
Dit leest Emma aan de voorkant:

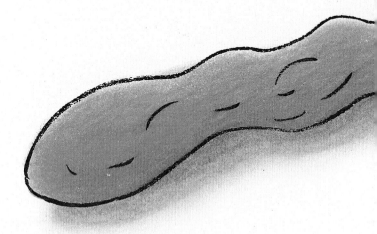

En maak kans op de hoofdprijs!

terug.

gratis met het hele

gezin naar

Het Paradijs!

Zonnig warm met palmbomen

snorkelen in het koraalrif

golven

Emma draait het kaartje om.
Daar staat een naam en adres.

Lisa van Houten
leeftijd 7 jaar
Het Rechte Pad 49
1234 AB Kromweg

Weer kijkt Emma naar de voorkant.
Terug?
Wat bedoelen ze met 'terug'?
Moet ze het kaartje op de post doen?
Moet ze het naar dat meisje sturen?
Naar Lisa van Houten?
En wat bedoelen ze met die hoofdprijs?
Zou ze kans maken op een verre reis?
Een reis naar een warm paradijs?
Emma wipt op en neer op haar stoel.
Dat zou nog eens gaaf zijn voor mama!
Dan kunnen ze in de zomer toch weg!
En de droom van mama komt uit.

Nu droomt Emma zelf weg.
Ze heeft een duikbril en een snorkel.
Ze is onder water.
Wat zijn die vissen mooi!
Wat is het koraalrif kleurig!
Wat is de zee helder!
O, en kijk daar!
Een echte inktvis!

De brief

'Mam,' vraagt Emma,
'heb jij een vel papier voor me?
En ook een envelop en een postzegel?'
'Tuurlijk, Emma,' zegt mama.
'Waar heb je dat voor nodig?
Ga je opa en oma een brief schrijven?'
'Nee, iemand anders,' lacht Emma.
'Maar dat is geheim.'
Mama kijkt Emma eens goed aan.
'Ben je nu al veliefd?
Schrijf je een liefdesbrief?'
'Nee, mam,' zegt Emma.
'Het is een verrassing.
Je mag het nog niet weten.
Je moet gewoon geduld hebben.'
'Tja,' zegt mama.
'Als je maar geen gekke dingen doet.'

Emma kan heel goed lezen.
Schrijven gaat nog niet zo goed.
Emma doet heel erg haar best.
Dit is wat ze schrijft.

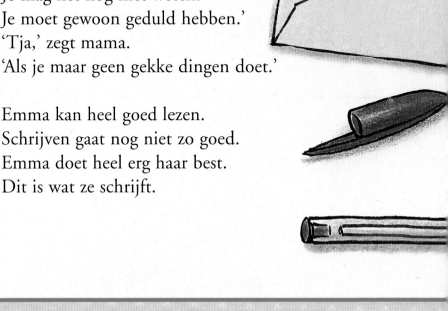

Beste Lisa,

Ik vond je kaartje bij een boom.
Ik denk dat het van een wedstrijd is.
Een wedstrijd met ballonnen.
Ik hoop dat ik de hoofdprijs win.
Het is voor de verjaardag van mijn moeder.
Ik wil haar de prijs graag geven.
Schrijf je me terug?
Ook al win ik niet.

Groetjes van Emma

Emma vouwt de brief netjes op.
Ze stopt hem in de envelop.
Eerst schrijft ze het adres van Lisa erop.
Dan stopt ze ook het kaartje erbij.
Met haar tong likt ze over het randje.
Dan plakt ze hem dicht.
Als ze de postzegel erop drukt, zegt ze:
'Ik wil de hoofdprijs.
Ach toe!
Ik wil de hoofdprijs!'

Even later staat Emma bij de brievenbus.
Weer zegt ze zacht:
'Ik wil de hoofdprijs.
Ach toe!
Ik wil de hoofdprijs!'
Dan duwt ze de brief door de gleuf.

Wachten duurt lang

Het is nu bijna twee weken geleden.
Het was op een dinsdag.
Toen deed Emma de brief op de post.
Vandaag is het maandag.
En morgen is mama jarig.
De school is uit.
De laatste dagen rende Emma steeds naar huis.
'Is er al post?' was dan het eerste wat ze vroeg.
'Ja,' zei mama steeds weer.
Maar telkens was het post voor mama of papa.
Nooit was er post voor haar.
Emma hoopte heel erg op de hoofdprijs.
Daarom heeft ze niks voor mama gekocht.
Nu rent Emma niet.
Ze is bang dat er weer geen post is.
En wat moet ze dan doen?
Ze weet niks leuks voor mama te koop.
Emma loopt steeds slomer.
Net of ze geen zin heeft.

Mama staat al bij de deur klaar.
Maar wat is dat?

Mama heeft een brief in haar hand.
Daar zwaait ze mee.
'Voor jou!' roept mama.
Nu rent Emma wel.
Ze maakt een sprintje.
Dan grist ze de brief weg.
'Die is voor mij!' roept ze.
'Dat weet ik toch,' zegt mama.
'Hij is nog dicht, hoor.
Ik weet niet wat erin staat.'

Emma gooit haar jas uit.
Zomaar op de grond.
Dan rent ze de trap op.
Ze stormt haar kamer in.
En ze ploft op haar bed.
Het hart van Emma bonkt.
Ze bekijkt de brief goed.
Hij ziet er deftig uit.
Er staat een stempel op met een ballon.
Dit is vast dé brief.
Emma heeft de brief al bijna open.
Ze gaat de brief nú lezen!
Maar dan bedenkt ze zich.
Ze kan ook mooi papier om de brief doen.

En hem zo aan mama geven.
Dan is het een verrassing voor mama.
Maar ook voor Emma.
Ineens weet ze het zeker.
Mama mag morgen de brief openmaken.
Omdat ze dan jarig is.

Lang zal ze leven

Emma doet één oog open.
En dan nog één.
Ze kijkt op haar wekker.
Ja! Het is zeven uur.
De nacht is voorbij.
Emma springt uit bed.
Ze pakt de brief.
Dan rent ze naar mama.
Die ligt nog in bed met papa.

'Lang zal ze leven!' zingt Emma.
Papa doet meteen mee.
Om de beurt geven ze mama een kus.
'Ik gaf mama vannacht al wat,'
lacht papa.
'Ja,' zegt mama,
'kijk eens wat een mooie ketting.'
'Mijn pakje is klein,' zegt Emma.
'Maar toch is het groot.'
'Ik ben benieuwd!' lacht mama.
Eerst maakt mama het papier los.
Daarna maakt ze de brief open.
Ze kijkt verbaasd, héél verbaasd.
'De hoofdprijs!' roept ze.
'Maar lieve Emma, je krijgt de hoofdprijs!'

'Voor jou, mama, omdat je jarig bent.'
Papa leest met mama mee.
'Hoe kan het waar zijn?
Wat een bofkont ben jij, Emma!
En wat een bofkonten zijn wij.
Het is geldig voor het hele gezin.'

Emma glundert.
Wat is ze trots.
Deze zomer gaan ze naar een eiland.
Naar een strand met palmen in de zon.
Dankzij haar!

'Weet je wat,' zegt mama,
'zullen we straks meteen gaan?
Papa heeft ook vrij vandaag.'
'Straks?' vraagt Emma.
Ze kijkt heel raar naar mama.
'Maar ik moet morgen toch naar school.'
'Ja, we gaan maar een of twee uurtjes,'
zegt mama.
'Maar dat kán toch nooit!' roept Emma uit.
'Ik denk dat er naartoe vliegen wel een paar uur
duurt.'
Nu kijkt mama heel raar.
'Zo ver is Kromweg niet, hoor,' zegt ze.
'Vandaag gaan we met de auto.
Maar in het vervolg gaan we gewoon op de fiets.
Leg nu je zwempak maar klaar voor na school.'

Emma snapt er niks van.
Dan vraagt ze voor de zekerheid:
'Mama, wat is de hoofdprijs eigenlijk?'
'Weet je dat niet, meisje?' lacht mama.

'Een jaar lang gratis naar zwembad Het Paradijs!
Met het hele gezin.'
'Geen reis?' vraagt Emma.
'Ik dacht dat het een reis was.
Naar een eiland met palmen ...'
'Nou,' lacht mama,
'ik heb liever een jaar lang zwemmen!
Een reisje is zo voorbij.
En vliegen vind ik toch niks aan.'
Dan lacht Emma met mama mee.
'Elke dag zwemmen!
Jippie ajee!'

Raketjes bij kern 11 van Veilig leren lezen

1. Een eiland met palmen
Annemarie Bon en Gertie Jaquet
Na ongeveer 33 weken
leesonderwijs

2. Dieren voor de spiegel
Riet Wille en Riske Lemmens
Na ongeveer 33 weken
leesonderwijs

3. Krijn en opa
Geertje Gort en
Joyce van Oorschot
Na ongeveer 33 weken
leesonderwijs

ISBN 90.276.6186.3
NUR 287
1e druk 2005

© 2005 Tekst: Annemarie Bon
Illustraties: Gertie Jaquet
Lay-out: Studio Frans Galema
Uitgeverij Zwijsen B.V. Tilburg

Voor België:
Zwijsen-Infoboek, Meerhout
D/2005/1919/396